HOW TO DRAW
MY HERO ACADEMIA

THIS BOOK BELONGS TO

_____

_____

You will need the following supplies

1. A pencil (or pencils)
2. An eraser
3. A pencil sharpener
4. Lots of paper
5. Colored pencils, markers or crayons
6. A good light source
7. A comfortable place to draw
8. Your imagination

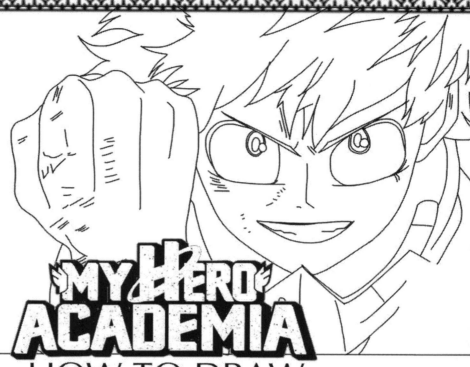

MY HERO ACADEMIA

HOW TO DRAW:

STEP 1

STEP 2

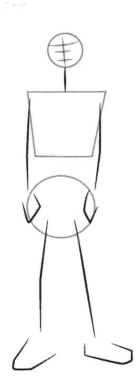

STEP 3

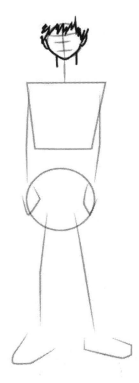

STEP 4

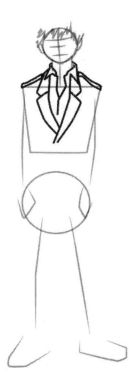

STEP 5

STEP 6

STEP 7

STEP 8

STEP 9

LET'S DRAW KATSUKI BAKUGO

STEP 1

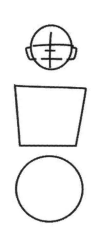

STEP 2

STEP 3

STEP 4

STEP 5

STEP 6

STEP 7

STEP 8

STEP 9

STEP 10

STEP 11

LET'S DRAW IZUKU MIDORIYA

STEP 1

STEP 2

STEP 3

STEP 4

STEP 5

STEP 6

STEP 7

STEP 8

LET'S DRAW MINORU MINETA

STEP 1

STEP 2

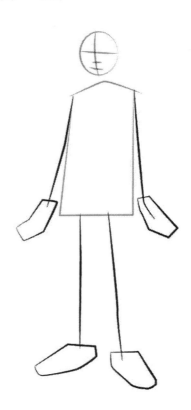

STEP 3

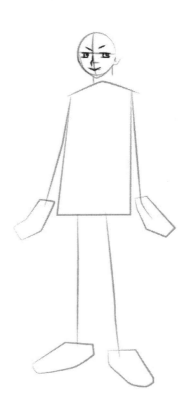

STEP 4

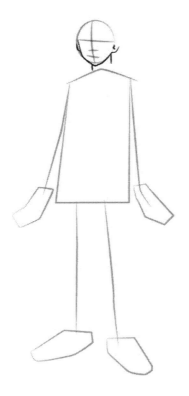

STEP 5

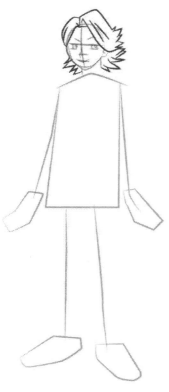

STEP 6

STEP 7

STEP 8

STEP 9

STEP 10

STEP 5

STEP 6

STEP 7

STEP 8

STEP 9

STEP 10

LET'S DRAW DENKI KAMINARI

STEP 1

STEP 2

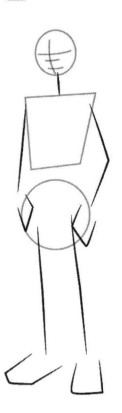

STEP 3

STEP 4

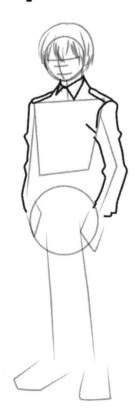

STEP 5

STEP 6

STEP 7

STEP 8

STEP 9

STEP 10

LET'S DRAW HOUTO TODOROKI

Shoto

STEP 1

STEP 2

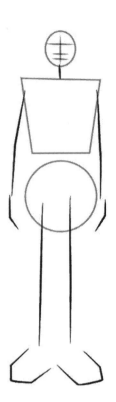

STEP 3

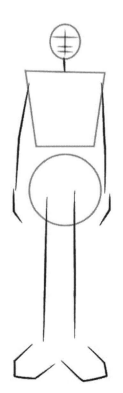

STEP 4

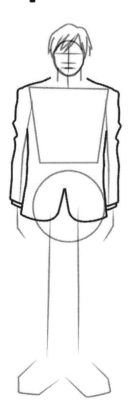

STEP 5

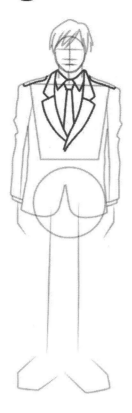

STEP 6

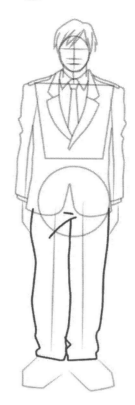

STEP 7

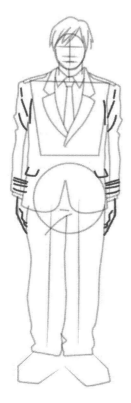

STEP 8

STEP 9

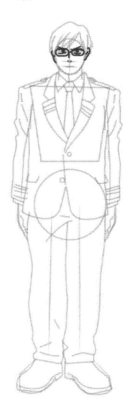

STEP 10

LET'S DRAW TENYA IIDA

STEP 1

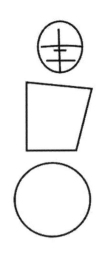

STEP 2

STEP 3

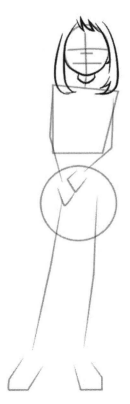

STEP 4

STEP 5

STEP 6

STEP 7

STEP 8

STEP 9

LET'S DRAW OCHACO URARAKA

STEP 1

STEP 2

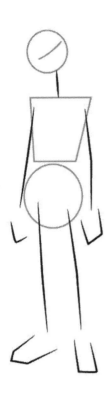

STEP 3

STEP 4

STEP 5

STEP 6

STEP 7

STEP 8

STEP 9

LET'S DRAW FUMIKAGE TOKOYAMI

STEP 1

STEP 2

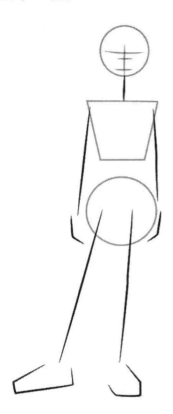

STEP 3

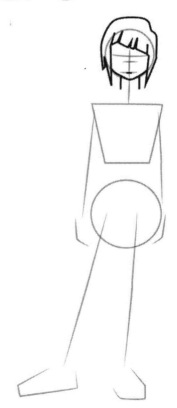

STEP 4

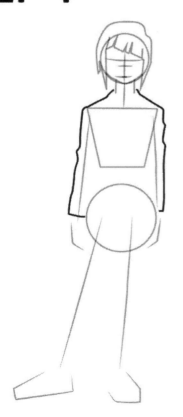

STEP 5

STEP 6

STEP 7

STEP 8

STEP 9

STEP 10

LET'S DRAW KYOUKA JIROU

STEP 1

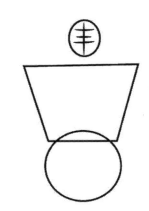

STEP 2

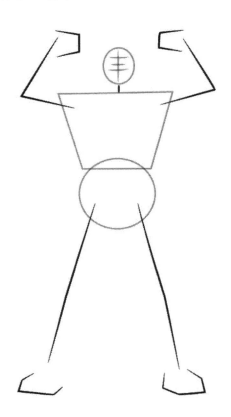

STEP 3

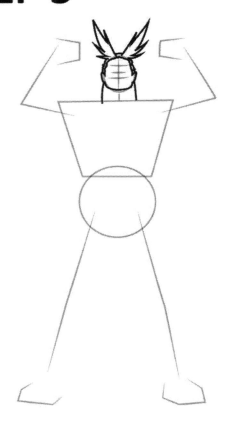

STEP 4

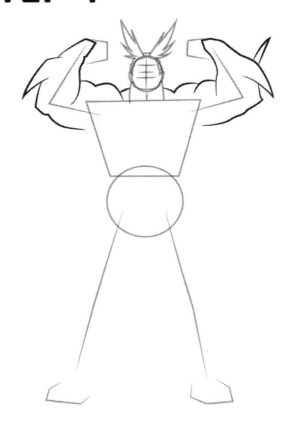

STEP 5

STEP 6

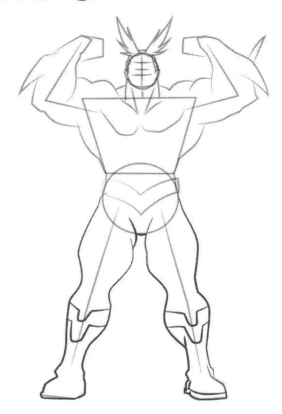

STEP 7

STEP 8

STEP 9

STEP 10

LET'S DRAW ALL MIGHT

STEP 1

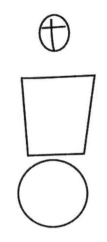

STEP 2

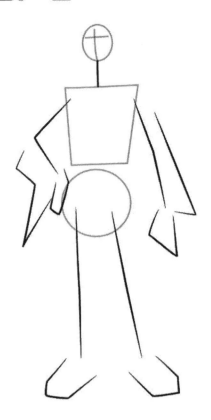

STEP 3

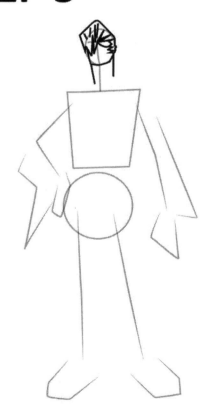

STEP 4

STEP 5

STEP 6

STEP 7

STEP 8

STEP 9

LET'S DRAW MEZOU SHOUJI

STEP 1

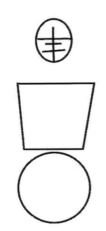

STEP 2

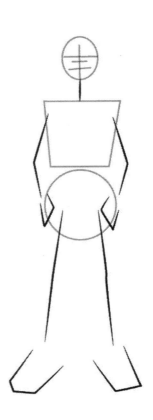

STEP 3

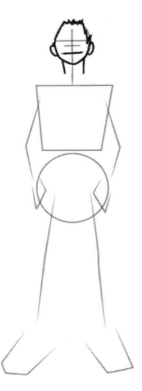

STEP 4

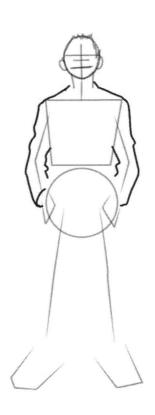

STEP 5

STEP 6

STEP 7

STEP 8

STEP 9

LET'S DRAW EIJIROU KIRISHIMA

STEP 1

STEP 2

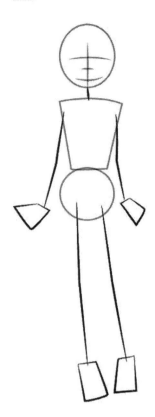

STEP 3

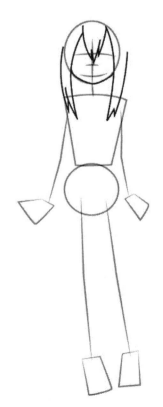

STEP 4

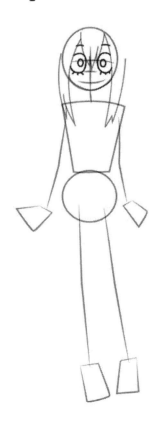

STEP 5

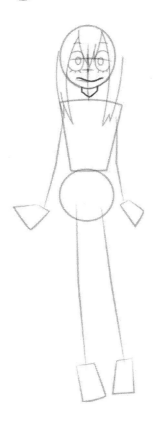

STEP 6

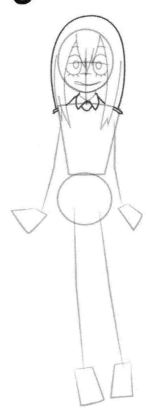

STEP 7

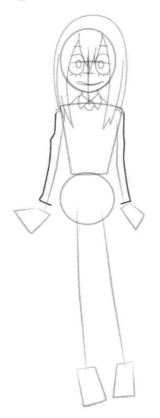

STEP 8

STEP 9

STEP 10

STEP 11

STEP 12

STEP 13

STEP 14

LET'S DRAW TSUYU ASUI

STEP 1

STEP 2

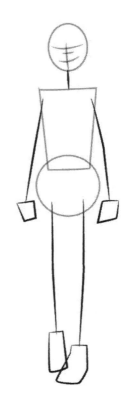

STEP 3

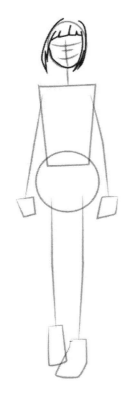

STEP 4

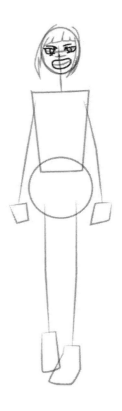

STEP 5

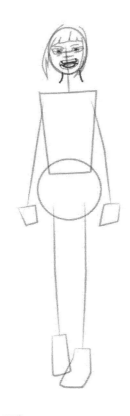

STEP 6

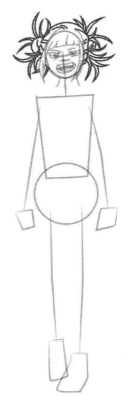

STEP 7

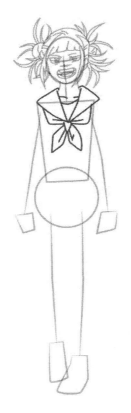

STEP 8

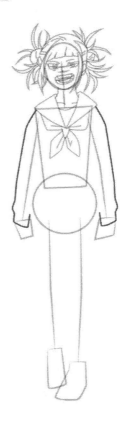

STEP 9

STEP 10

STEP 11

STEP 12

STEP 13

LET'S DRAW TOGA

STEP 1

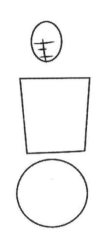

STEP 2

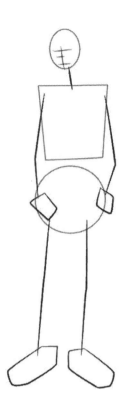

STEP 3

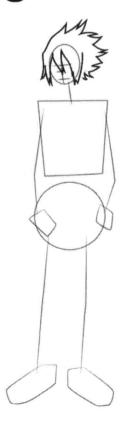

STEP 4

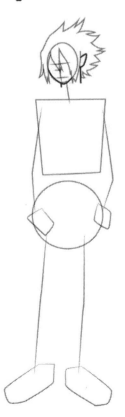

STEP 5

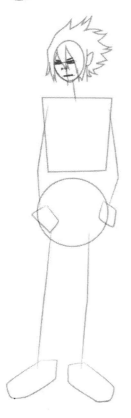

STEP 6

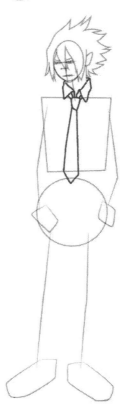

STEP 7

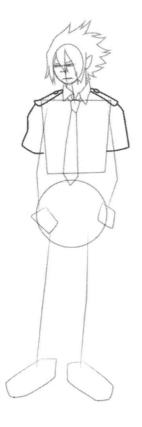

STEP 8

STEP 9

STEP 10

STEP 11

STEP 12

STEP 13

LET'S DRAW TAMAKI AMAJIKI

STEP 1

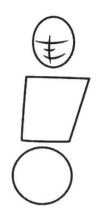

STEP 2

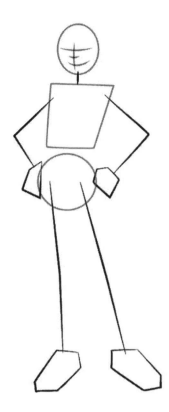

STEP 3

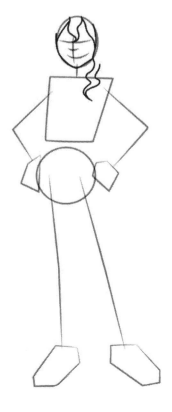

STEP 4

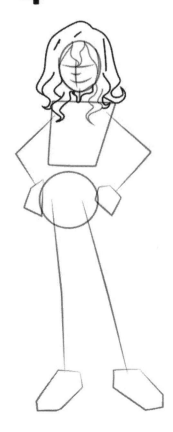

STEP 5

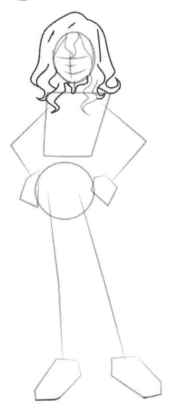

STEP 6

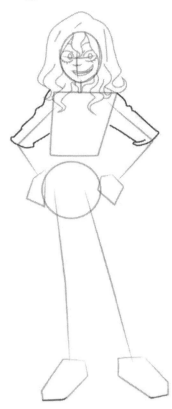

STEP 7

STEP 8

STEP 9

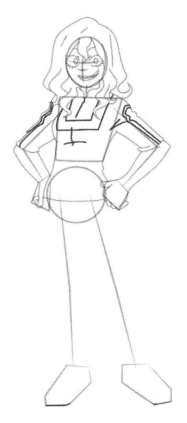

STEP 10

STEP 11

STEP 12

STEP 13

LET'S DRAW SETSUNA TOKAGE

STEP 1

STEP 2

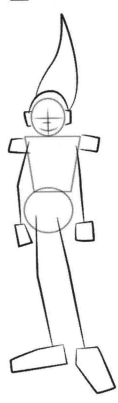

STEP 3

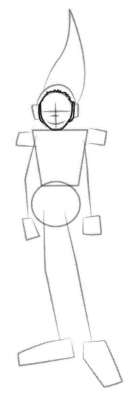

STEP 4

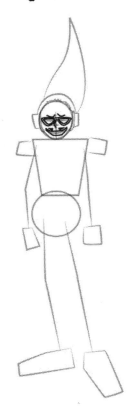

STEP 5

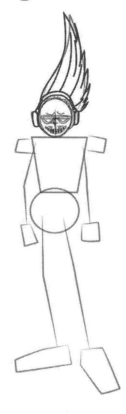

STEP 6

STEP 7

STEP 8

STEP 9

STEP 10

STEP 11

STEP 12

STEP 13

LET'S DRAW PRESENT MIC

STEP 1

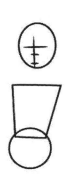

STEP 2

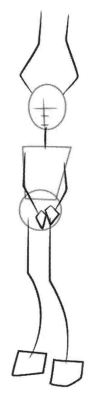

STEP 3

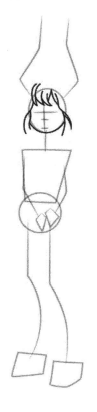

STEP 4

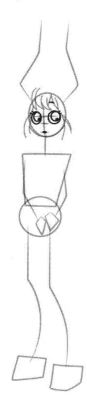

STEP 5

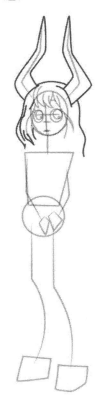

STEP 6

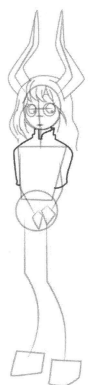

STEP 7

STEP 8

STEP 9

STEP 10

STEP 11

STEP 12

STEP 13

LET'S DRAW PONY TSUNOTORI

STEP 1

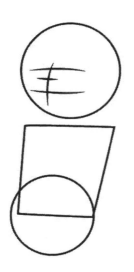

STEP 2

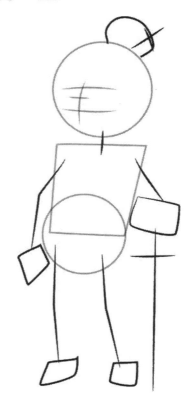

STEP 3

STEP 4

STEP 5

STEP 6

STEP 7

STEP 8

STEP 9

STEP 10

STEP 11

LET'S DRAW RECOVERY GIRL

STEP 1

STEP 2

STEP 3

STEP 4

STEP 5

STEP 6

STEP 7

STEP 8

STEP 9

STEP 10

STEP 11

LET'S DRAW NO. 13

STEP 1

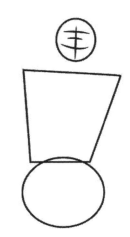

STEP 2

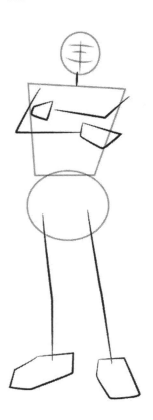

STEP 3

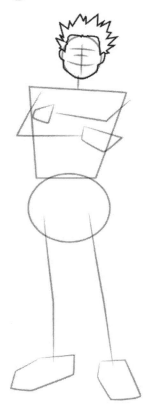

STEP 4

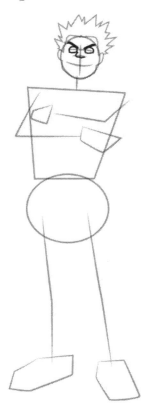

STEP 5

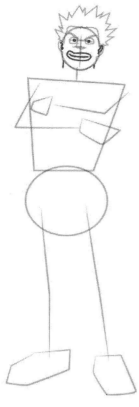

STEP 6

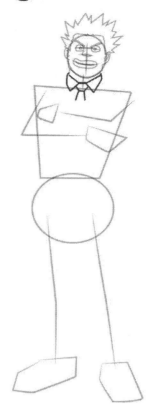

STEP 7

STEP 8

STEP 9

STEP 10

STEP 11

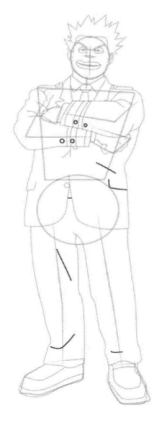

STEP 12

LET'S DRAW RIKIDO SATO

STEP 1

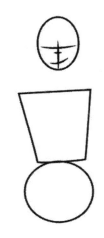

STEP 2

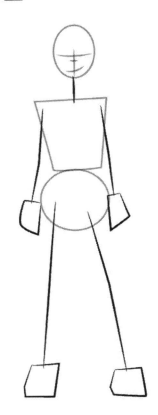

STEP 3

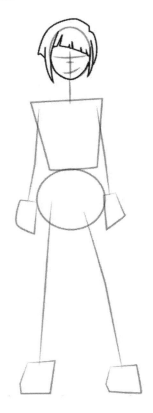

STEP 4

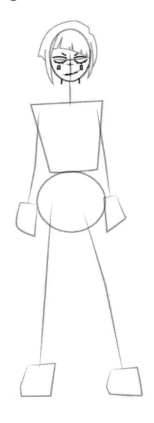

STEP 5

STEP 6

STEP 7

STEP 8

STEP 9

STEP 10

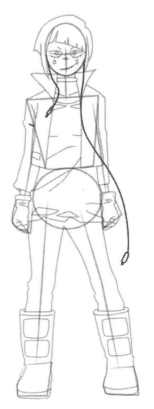

STEP 11

LET'S DRAW OOJIRO

STEP 1

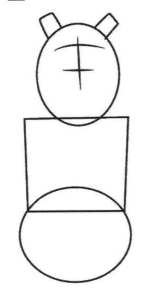

STEP 2

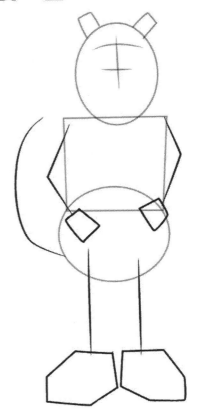

STEP 3

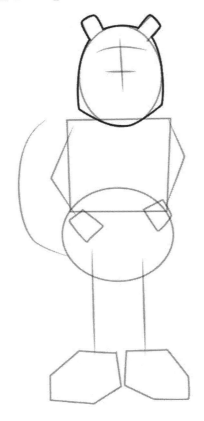

STEP 4

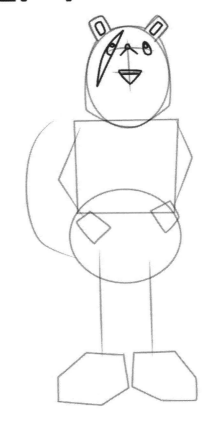

STEP 5

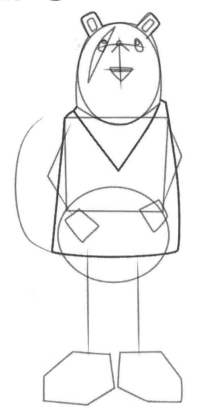

STEP 6

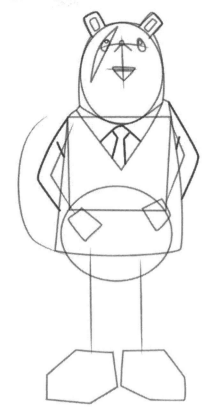

STEP 7

STEP 8

STEP 9

STEP 10

LET'S DRAW NEZU

STEP 1

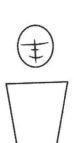

STEP 2

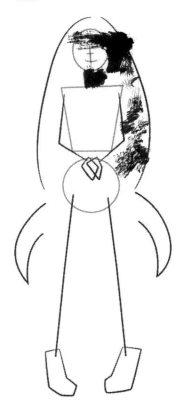

STEP 3

STEP 4

STEP 5

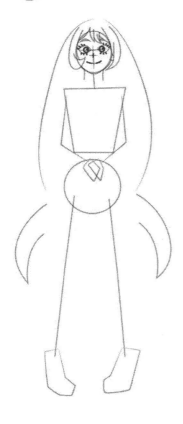

STEP 6

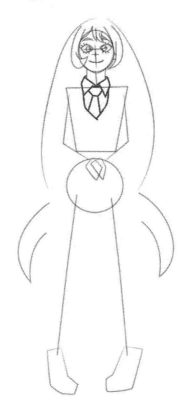

STEP 7

STEP 8

STEP 9

STEP 10

STEP 11

STEP 12

STEP 13

STEP 14

STEP 15

LET'S DRAW NEJIRE HADO

STEP 1

STEP 2

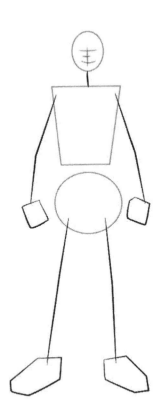

STEP 3

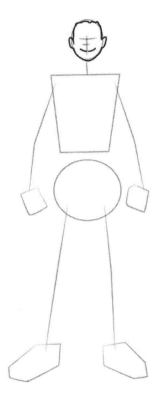

STEP 4

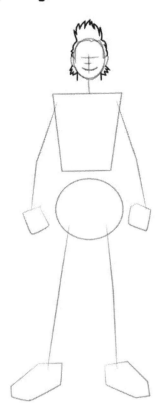

STEP 5

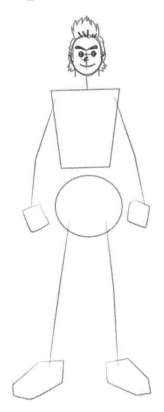

STEP 6

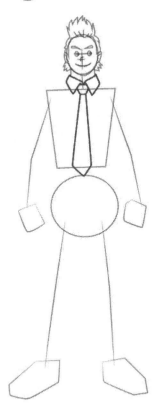

STEP 7

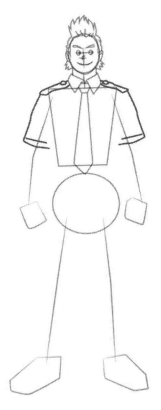

STEP 8

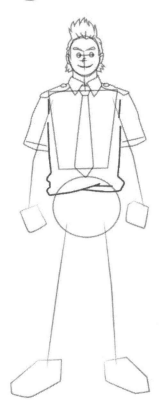

STEP 9

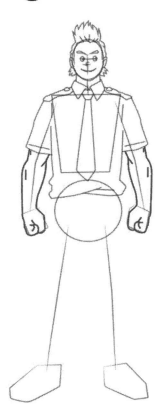

STEP 10

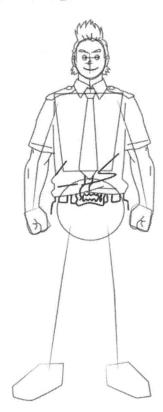

STEP 11

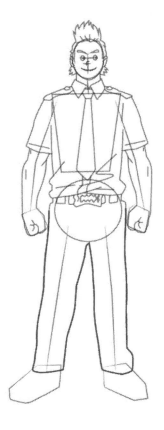

STEP 12

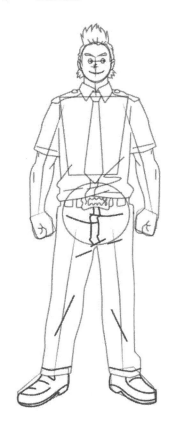

LET'S DRAW MIRIO TOGATA

STEP 1

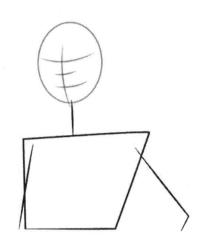

STEP 2

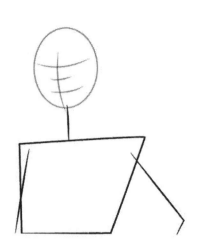

STEP 3

STEP 4

STEP 5

STEP 6

STEP 7

STEP 8

STEP 9

STEP 10

LET'S DRAW MIDNIGHT

STEP 1

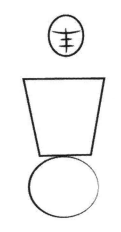

STEP 2

STEP 3

STEP 4

STEP 5

STEP 6

STEP 7

STEP 8

STEP 9

STEP 10

STEP 11

STEP 12

LET'S DRAW MASHIRAO OJIRO

STEP 1

STEP 2

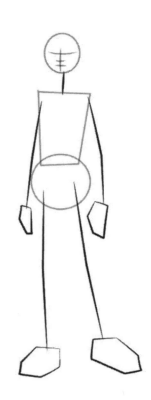

STEP 3

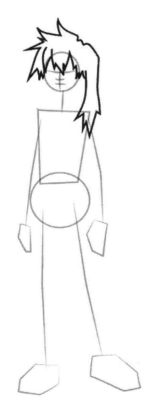

STEP 4

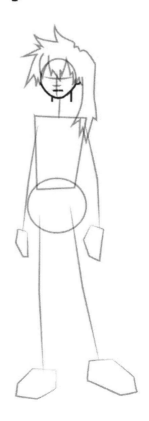

STEP 5

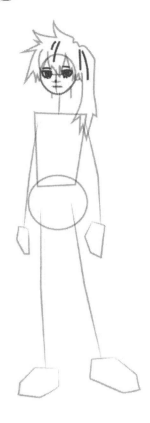

STEP 6

STEP 7

STEP 8

STEP 9

STEP 10

STEP 11

STEP 12

LET'S DRAW ITSUKA KENDO

STEP 1

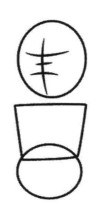

STEP 2

STEP 3

STEP 4

STEP 5

STEP 6

STEP 7

STEP 8

STEP 9

STEP 10

STEP 11

STEP 12

STEP 13

LET'S DRAW GRAN TORINO

STEP 1

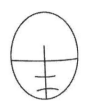

STEP 2

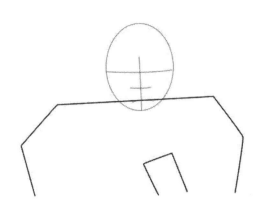

STEP 3

STEP 4

STEP 5

STEP 6

STEP 7

STEP 8

STEP 9

LET'S DRAW ERASER HEAD

STEP 1

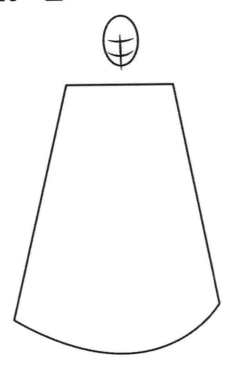

STEP 2

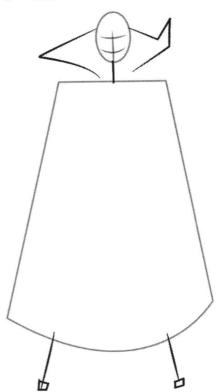

STEP 3

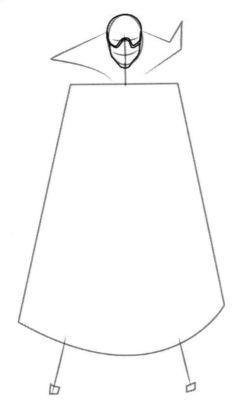

STEP 4

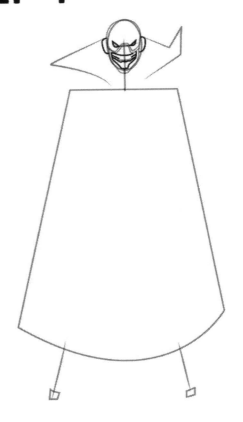

STEP 5

STEP 6

STEP 7

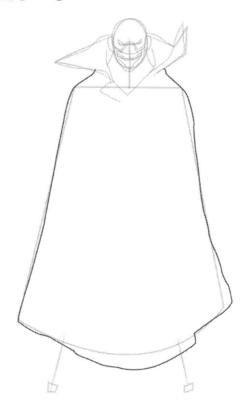

STEP 8

STEP 9

STEP 10

STEP 11

LET'S DRAW ECTOPLASM

STEP 1

STEP 2

STEP 3

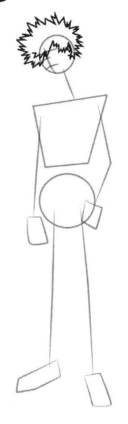

STEP 4

STEP 5

STEP 6

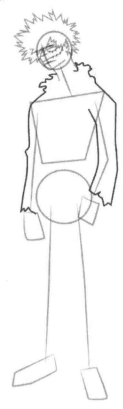

STEP 7

STEP 8

STEP 9

STEP 10

STEP 11

STEP 12

STEP 13

LET'S DRAW DABI

STEP 1

STEP 2

STEP 3

STEP 4

STEP 5

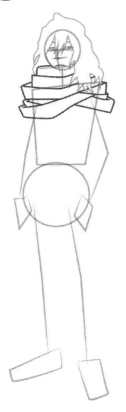

STEP 6

STEP 7

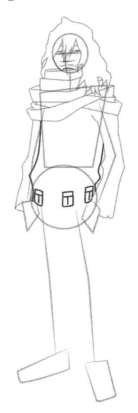

STEP 8

STEP 9

STEP 10

STEP 11

LET'S DRAW AIZAWA